WARRIOR, GUERRERA:
sayings and affirmations para las Guerreras

Mydalis Vera

Dali,
gracias por todo!

Eres una gran guerrera!

Dali

Dedicated to:

Jade, mami, Gigi, Yaina, Lianiz, and Zay

... y a todas las mujeres que se han sentado en la oscuridad pensando que no eran lo suficientemente buenas, no lo suficientemente bonitas, no lo suficientemente talentosas, no lo suficientemente inteligentes, no lo suficientemente creativas ...

... and to all the women who have sat in the dark thinking they weren't good enough, not pretty enough, not talented enough, not smart enough, not creative enough...

Acknowledgements:

I want to thank every woman that ever gave me a fighting chance in this world.

Quiero agradecer a todas las mujeres que alguna vez me dieron la oportunidad de luchar en este mundo.

Author's message

Mujer,

You are loved, you are needed, you are a warrior, and I will remind you.

Guerrera,
afirmó tu exquisito poder,
and I vow to lead you into better days.

Guerrera,
La victoria viene when you love
yourself unconditionally.

Guerrera,
Lucha por lo que quieres,
but never let what you want,
overshadow what you deserve.

Guerrera,
La tormenta no ha parado,
but just like the storm,
you are resilient.

Guerrera,
In efforts to grow,
learn,
and be,
recuerda de dónde vienes,
y para donde vas.

Guerrera,
Evolving is not a constant
unless you put in the work.
Evolucionar no es una constante a
menos que te esfuerces.

Guerrera,
I pray your spirit finds solace en
momentos difíciles.

Guerrera,
Disfruta todos tus triunfos.
There comes a time to engulf yourself in all your
gains.

Guerrera,
It's ok to need a break.
Estamos viviendo un mundo where breaks
should be mandatorio.

Guerrera,
The pressure from the universe is intense.
Pero tú eres más
intensa,
productiva,
y fuerte.

Guerrera,
Una vez que comienzas a manifestarte,
there is no going back baby girl.

Guerrera,
llora,
pero no para darte por vencida,
cry so you can keep going.

Guerrera,
A veces you just have to turn off the silence
and turn up the reggaeton
/rap/
pop
/cumbia/
tex mex
/salsa/
bachata/
merengue/
kizomba ...

Guerrera,
No es el fin del mundo,
it might feel like it,
pero power through because
the world is ready for your excellence.

Guerrera,
Desarrolla tus poderes.
Realize when you're stagnant.
Nota cuando las cosas tienen que cambiar.

Guerrera,
La miel es suave y maleable cuando se calienta
pero with the cold it will crystallize.
No te apures it's fairly simple to turn it back into
warm honey:
don't let the fire burn out.

Guerrera,
Date cuenta de que eres una fucking vibra.
You reap what you sow and
honey you sewed gold.

Guerrera,
Paciencia y Perseverancia
Confía en tus metas.
The first step is always the steepest.

Guerrera,
Luchadora
te veo,
sigue luchando,
sigue triunfando.
Never quit on yourself.

Guerrera,
No te dejes llevar por la gente.
You're a whole vibra.

Guerrera,
Eres más que suficiente.
No creas en pensamientos negativos.
You are enough.

Guerrera,
Se creativa,
Se apasionada,
Stay consistent with your energy.

Guerrera,
Enfocarte en lo necesario no es ser egoísta.
Sometimes you have to shift gears and focus on
you.

Guerrera,
A veces you just have to say:
Vete pal carajo.

Guerrera,
Show them that
you deserved more
by being exitosa no toxica.

Guerrera,
Hay magia en perdonarte a ti misma.
There is magic in forgiving one-self.

Guerrera,
Ella brilla más al no cargar su trauma en los
huesos,
alma, y pensamientos.
Don't carry your burdens long enough to be re-
traumatized by them.

Guerrera,
Hay cargas que elegimos.
That doesn't mean every once in a while
we can't ask for help.

Guerrera,

Sé que a veces quieres abandonar tus sueños.

Don't do it.

Don't look back in ten years and wish you had

continued to follow your dreams.

Look back and say I'm glad I kept going.

¡Fuerte Mujer!

Guerrera,

Perdona.

Forgive because you deserve

freedom

from demons that can swallow you whole.

Guerrera,
Creciste en un hogar,
donde siempre había comida,
bochinche,
y humildad.
Humility is key.

Guerrera,
Dedícate a tu pasión mi amor.
Mas te amas a ti misma;
más you bring in pure
purpose, light, and
love
into your life.

Guerrera,

The present moment is what we have.

This moment right now.

Disfruta este momento porque el pasado ya pasó
y el futuro aún no está aquí.

Guerrera,

¿Te sientes mal?

Pero you have to get up.

You have to.

Guerrera,
Realize who you are and what you give.
Entiende que eres sólida
y fluyes energía.
Eres más que capaz.

Guerrera,
Asegúrese de estar presente con ustedes mismas.
Be present,
be loving,
be compassionate
to your inner voice.

Guerrera,
A los cojones you're going to make.

Guerrera,
In essence if you don't take care of you,
there is no way you can take care of them.

Guerrera,
El autocuidado es tu responsabilidad.
Self-care is your responsibility.

Guerrera,
The hard parts are here to show us what we are
made of.
Las partes difíciles están aquí para mostrarnos
de qué estamos hechos.

Guerrera,
Amargura
lo que atrae es la negatividad.
Check yourself before you end
up in an up-cycle of negativity.

Guerrera,
Las cosas a veces son difíciles.
You continue to try to be the best version of you.

Guerrera,
A veces,
shit hits the fan
but trust
todo sucede por una razón.

Guerrera,
En este espacio,
ay para que todas comamos.
Don't get lost in your insecurities.

Guerrera,

¡Adelante mujer!

This is your space to be vulnerable and Poderosa.

Guerrera,

¿Amiga te caíste?

¡Pero levántate!

Don't let this world take more from you than it has.

Don't let them take your spirit.

Guerrera,
Girl you got this.
Entre tanto dolor
tienes que ver
that you are an extraordinary mujer.

Guerrera,
Límpiate la cara
que no quiero que te vean así.
Tu con la frente en alta
because those who matter don't make you cry.

Guerrera,
¿Como que no puedes?
¡Si puedes!
Porque tu eres excepcional.

Guerrera,
Sangana
¿Que te pasa?
Ponte las pilas.
You are a creative poderosa being.

Guerrera,
Mantener distancia
from a bad spirit
is healthy.

Guerrera,
El mal de ojo
is powerless.
You have La Mano de Azabache
and karma on your side.

Guerrera,
No te dejes.
Para nada,
No te dejes.

Guerrera,
No pares por otros.
Sigue por ti.

Guerrera,
Abre el libro.
Mantente enfocada.
Actively participate in your goals and learning.

Guerrera,
Quiero que tengas la educación
That you deserve.
Learn your craft.

Guerrera,
Si no abres el libro,
como te voy a explicar?

Guerrera,
No te des por vencida.
El momento es ahora.
Te vas a graduar.

Guerrera,
Lo único que quiero para ti
es una vida llena
de oportunidad.
Do I make myself clear?

Guerrera,
¡Niña/Mujer por favor!
Entiende que esta vida
no te va a regalar la oportunidad.
Tu tienes que agárrala por los pelo.

Guerrera,
¿Quieres alcanzar tus metas?
Lee mucho y cuida tu cuerpo
y espíritu, because only you have that power.

Guerrera,
Edúcate.
Porque te lo mereces.
Because you are worth it.

Guerrera,
Se que lo que sucedió
te dolió
but I promise you that
You will rise from this.

Guerrera,
Ten fe que
todos los obstáculos
que te mandan,
are for a reason.

Guerrera,
Don't be discouraged.
El que malo piensa, malo vive.
Pa' lante.

Guerrera,
Se orgullosa de lo que tu
traes a la mesa
porque te lo mereces.
Because you deserve it.

Guerrera,
You're dope.
Hasta cuando no lo creas.
You are dope.

Guerrera,
En los momentos
de dolor
think about where you came from
and where you want to go.

Guerrera,
No te enloquezcas con
lo que no puedes cambiar
Go crazy with the things you can change.

Guerrera,
Entre tu y yo,
no te envuelvas en lo
que no es pa' ti.
Fight for you sin mirar pal' lao.

Guerrara,
Que raro cuando
alguien no cree en tu magia,
because now they are going to be surprised
with what you are capable of.

Guerrera,
Hablas tanto mi amor.
Pon esas palabras a la acción.
Actions speak louder than words.

Guerrera,
Levántate
"I'm tired."
I know.
Pero acosta no vas a hacer lo que necesitas
hacer.

Guerrera,
One step at a time.
En lo mas feo,
te tienes que poner fuerte.

Guerrera,
A veces la piña se pone agria
y tienes que ponerte los jeans
bien puestos.

Guerrera,
Sometimes falling apart
is the only thing that you can do.
Pero recuerda construirte otra vez.

Guerrera,
Deja de crear la misma realidad.
La nueva realidad es que te amas
más que a otras personas.
Love yourself HARD

Guerrera,
Levántate y empieza
Porque el primer paso es el
más difícil.
Start now!

Guerrera,
La motivación no nace fácil.
Se crea en un espacio de seguridad.
Guard your space!

Guerrera,
Si vives in a bubble.
Te digo, busca algo mas.

Guerrera,
It's not fake to help.
It is fake to criticize, punish, and hurt
another woman because you are insecure.
Se segura en ti misma.

Guerrera,
It is ok to catch your breath.
Just don't catch jealousy,
don't catch negativity, and
aprende a comprobarte a ti misma que mereces
paz.

Guerrera,
¡Mira TU!
¿Yo?
Si tu.
¿Que esperas?
Go grab life by the..

Guerrera,
Se loca.
Si loca por progresar.
Crazy about you and your goals.

Guerrera,
El fuego que quema
dentro de ti is to remind you that
you are worthy of this life.

Guerrera,
La fortaleza que te falta
no la vas a encontrarla en otros, otras, o ellos.
You're going to find it in:
en el cepillo que usas para peinarte,
en el jabón que usas para limpiarte,
en la música que usas para distraerte,
y en el espejo que usas para mírate.

Guerrera,
CHACHO.
Es que se te ve de lejos.
You're intellectual being radiates.

Guerrera,
Estas algarate.
Yes, crazy in power.
Crazy in peace.
Knee deep in self-love.

Guerrera,
Coje un break.
Porque you deserve it.

Guerrera,
Esta guilla
¡No guilla no!
Segura en ella misma,
sabia,
and not naive.

Guerrera,
Dudas de ti.
Pero estas desorientada.
Give yourself the leverage
to start over and be better.

Guerrera,
Estabas desecha,
impotente a las fuerzas de la felicidad,
until you woke up from the nightmare,
and gave it all you had.

Guerrera,
Read the room.
Aprende that not everyone deserves
tus poderes.

Guerrera,
¡Despierta Guerrera!
¡Despierta!
El mundo is yours for the taking.

AMIGA, HERMANA, GUERRERA,

Made in the USA
Monee, IL
20 April 2021